“亮丽内蒙古”文化普及口袋书

红色北疆

田宏利◎编著

内蒙古人民出版社

图书在版编目（CIP）数据

爱上内蒙古．红色北疆 / 田宏利编著．— 呼和浩特：内蒙古人民出版社，2021.10

（“亮丽内蒙古”文化普及口袋书）

ISBN 978-7-204-16893-4

Ⅰ．①爱… Ⅱ．①田… Ⅲ．①内蒙古—概况②革命纪念地—介绍—内蒙古 Ⅳ．①K922.6②K878.2

中国版本图书馆 CIP 数据核字（2021）第 216089 号

爱上内蒙古·红色北疆

作　　者 田宏利
策划编辑 王　静
责任编辑 孙红梅
封面设计 吉　雅
出版发行 内蒙古人民出版社
地　　址 呼和浩特市新城区中山东路 8 号波士名人国际 B 座 5 楼
网　　址 http：//www.impph.cn
印　　刷 内蒙古恩科赛美好印刷有限公司
开　　本 889mm×1194mm　1/48
印　　张 2.375
字　　数 50 千
版　　次 2021 年 10 月第 1 版
印　　次 2023 年 2 月第 1 次印刷
书　　号 ISBN 978-7-204-16893-4
定　　价 10.00 元

如发现印装质量问题，请与我社联系。
联系电话：（0471）3946120

编 委 会

主　　编：戚向阳

执行主编：王　静

编　　委：樊志强　杨国华　李　欢

梁天超　李淑兰

摄　　影：张振北　田　原

「亮丽内蒙古」文化普及口袋书

开 电子书库

阅读本丛书全部电子书，全方位了解内蒙古。

看 纪录片

从影视作品中了解内蒙古的历史文化。

赏析 蒙古族长调艺术

聆听蒙古族长调民歌，带你领略蒙古族音乐的独特魅力。

旅行交流圈

聊聊你眼中的内蒙古。

微信扫码

序

内蒙古是一个走进去就会爱上她的地方。

这里有辽阔壮美的天然草原——呼伦贝尔草原无边无际，科尔沁草原绿草如茵，鄂尔多斯草原草长莺飞，阿拉善荒漠草原苍茫神秘；有我国面积最大的原始林区——大兴安岭林海莽莽苍苍，美景如画；有生态类型多样的世界地质公园——阿尔山世界地质公园里有亚洲面积最大的火山地貌景观，克什克腾世界地质公园是我国北部环境演化的自然博物馆，阿拉善沙漠世界地质公园中的沙漠景观、戈壁景观、峡谷景观和风蚀地貌景观交相辉映。

这里也是“歌的海洋”“酒的故乡”“舞蹈的天堂”——一首首歌曲犹

如一泓清澈的甘泉，从苍茫遥远的天边流泻而来；一杯杯美酒醇香甘甜，醉人心田；一支支舞蹈激情澎湃地舞动着青春的活力，舞动着生命的力量。这里还有丰富多样、风味独特的美食佳肴，有悠久灿烂的地域文化及独具魅力的民俗风情，有蒙汉合璧、别具匠心的宏伟建筑，有革命历史文化底蕴深厚的庄严肃穆的红色旅游胜地……

这些都是内蒙古以昂然之姿向世人展示自己的美丽的底气。这套《"亮丽内蒙古"文化普及口袋书》策划的初心和使命，就是从自然景观、人文景观、民俗文化、地域文化、饮食文化及红色旅游、城区建设等多个方面展现内蒙古自治区的亮丽风采以及各族人民在中国共产党的正确领导下，始终坚定地沿着中国特色社会主义道路奋勇前进，共同团结奋斗、共同繁荣发展的崭新时代风貌。

假如这般如诗如画的美景和悠久璀璨的历史文化还不足以打动你，那么，请到内蒙古来吧，生活在这片土地上的勇敢、诚信、友善的各族人民将带你深入领略内蒙古经济发展、社会进步、文化繁荣、民族团结、边疆安宁、生态文明、人民幸福的亮丽风景线，为你提供N个爱上内蒙古的理由。

目录

红色圣地得胜沟

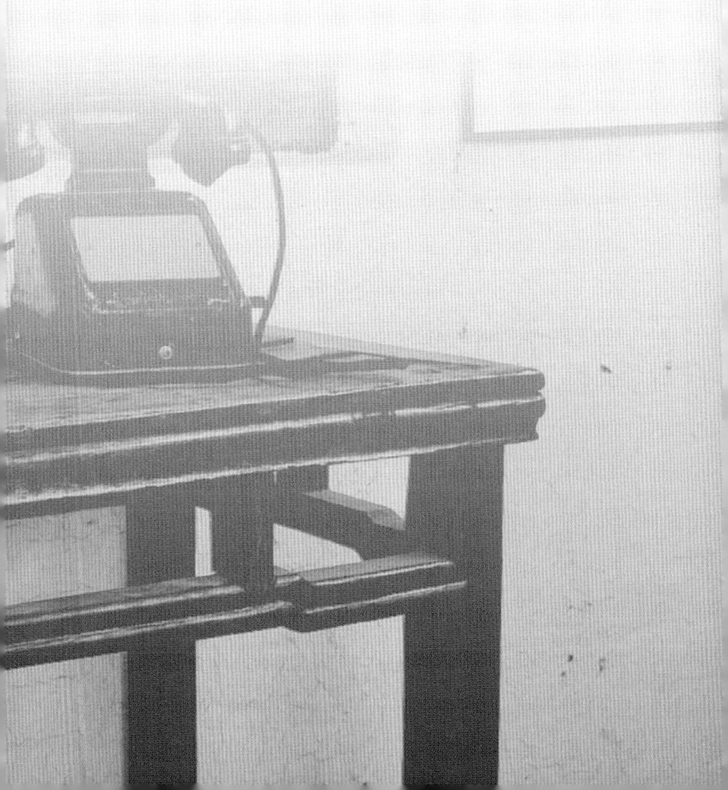

大青山抗日游击根据地位于大青山深处。远望大青山，峰峦起伏，连绵不断，西脑包山、东脑包山、华尖山、大平顶山、小平顶山、大特山、银贡山由西向东依次排列，山与山之间有五大沟（韭菜沟、肖夭子沟、老赖沟、得胜沟、李齐沟）以及30余条支沟，抢盘河、得胜河长流不断。其中，最高峰海拔2255米，平均

大青山抗日游击根据地展馆

海拔1700米，大山深处，林木繁茂，地形十分险要。在抗日战争时期，大青山区以其特殊的地理位置成为整个大青山抗日游击根据地的中心地带。

得胜沟八路军大青山支队司令部警卫连旧址就位于武川县得胜沟乡得胜沟村北峰峦起伏的虎头山山顶上。在警卫连旧址东南百余米处，有一块巨大的黑色岩石，该地恰好在虎头山山峰上，比周边高出好多，向北可观察到大庙酒馆和武川县城内日伪军的动静，向东南可观察到井尔沟方向的动静，站在崖石上居高临下，可清晰地看到进入得胜沟唯一的通道得胜沟河的情况。这就是当年警卫连的哨所。高昂的“虎头”日夜注视着远山近水，守护着山村，陪伴着警卫连的战士们，守卫着八路军大青山支队司令部。

山脚下就是自西向东流淌不息的得胜沟河，河岸边就是得胜沟村和八路军大青山支队司令部旧址，有卫生队、教导队、供销社、伙房等遗址，有李井泉、姚喆等住过的窑洞和办公用的石磨、树墩，还有八路军作战时使用过的战刀、手榴弹、马镫、火盆、粮食袋、火镰等珍贵文物。

1939 年 3 月，中共绥蒙工委改组为中共绥远省委，由伊克昭盟迁到大青山武川县西南毛林坝的德胜沟。德胜沟周围都是崇山峻岭，条件艰苦，八路军大青山支队司令部、绥察行政公署都集中在这里，德胜沟成为当时领导绥远抗日斗争的中心。

日本侵略者为消灭大青山的抗日力量，从 1938 年冬到 1940 年春一年多的时间里，发动了 15 次对大青山抗日游击根据地的围剿。

大青山人民在中国共产党的领导下，学习冀中根据地反“扫荡”的经验。坚壁清野，使日军找不到粮食；日军没有向导，在崇山峻岭中迷失方向，不少人失足摔死在怪石嶙峋的沟壑中。十几天后，围剿大青山腹地的敌人被拖得疲惫不堪，只好撤回。这次“扫荡”，敌人仅汽油就消耗了200余桶，汽车损坏了十几辆，人员伤亡惨重。

2005年，大青山抗日游击根据地被列入全国红色旅游发展规划纲要，成为内蒙古红色旅游资源重点建设项目。该项目从2006年开始选址、勘测、规划、设计，并通过专家组论证，于当年9月进入实质性施工阶段，历时两年多，2008年9月上旬正式竣工和落成。

每年的清明节和“七一”前后，都会有许多来自周边旗县的单位来这里进

大青山得胜沟

行一次主题鲜明的时空穿越之旅，在这些红色革命遗迹中，缅怀先烈，提振精神。

在这个信息多元、信仰迷失的时代，一次信仰洗礼不仅仅是回眸历史、寻踪访迹，更是鼓起勇气不断自拔与自新，保持对现实生活的兴致；一次怀旧的户外旅行不仅仅是在怀念往昔中体味岁月的酸甜苦辣，更是在往日的光辉里重新振作起行动的信心。

大青山抗日游击队员居住过的土坯房

武川险要蜈蚣坝

蜈蚣坝位于大青山中段，古称白道岭，是一处十分险要的隘口。

北魏地理学家郦道元的《水经注》中记载："芒干水又西南迳白道南谷口。有城在右，萦带长城……谓之白道岭。"这是最早见于史料中有关蜈蚣坝称谓的记载。

北魏以前，蜈蚣坝一带即为北方游

"蜈蚣坝伏击战革命遗址"纪念碑

牧民族与中原汉民族交流往来的主要通道。据史书记载，周穆王曾西行至昆仑山西王母国，途经蜈蚣坝南端坝口子一带，受到沿途少数民族的盛情款待。周穆王西征犬戎，“获其五王以东，遂迁戎于太原”。古太原即今包头西一带。战国时期，赵武灵王“胡服骑射”“北破林胡、楼烦。筑长城，自代并阴山下，至高阙为塞”。今蜈蚣坝沿东西山峰西侧仍存有赵长城遗址。

秦统一六国后，派大将蒙恬率30万大军北逐匈奴，并在秦、赵、燕长城的基础上修建秦长城，蜈蚣坝一带仍为交通要冲。汉及南北朝时，蜈蚣坝一带更是北方游牧民族南下中原的主要通道，这里战事频繁。北魏政权更在白道以北设武川镇扼守，一直延续到宋朝，蜈蚣坝一带仍称白道，仍是北方游牧民族和中原汉民族往来的主要通道。

古人有诗云：“云催古道见天低，鞭打喘牛不能前。”形容白道的凶险。蜈蚣坝山高坡陡，地势险峻，是沟通山南山北的必经之地。道路沿山而进，蜿蜒曲折，扼山而据，有“一夫当关，万夫莫开”之势，易守而难攻，从古至今一直是兵家必争之地。

辽代，蜈蚣坝被称为渔阳岭。今武川县哈拉合少乡马场梁、二份子乡大公村一带仍流传着有关辽代萧太后及天祚帝的传说。

《辽史》载，保大二年（1122 年）三月，“丙寅，上至女古底仓。闻金兵将近，计不知所出。乘轻骑入夹山，方悟奉先之不忠。”夹山即武川县哈拉合少乡的马场梁。《辽史》又载，保大四年（1124 年）秋，“上遂率诸军出夹山，下渔阳岭，取天健、东胜、宁边、云内等州。”渔阳岭即白道岭，元朝时称甸城山谷，清朝时又称得胜坝或都伦大坝。因阴山一带为汪古部驻地，白道岭又被称为“翁衮达不嘎”，最后讹传为今天的“蜈蚣坝”。

1926 年春，时任绥远省警务处处长的吉鸿昌在当地义工的帮助下，带其所部重修蜈蚣坝，将古白道从山顶改至谷底，三月完工。吉鸿昌题“化险为夷”四个大字，刻于马家店村东石崖之上，至今犹存。

抗日战争时期，八路军在这里成功地组织了一场伏击战，全歼日军130多人，其中击毙少佐军官1人，缴获机枪9挺、掷弹筒5个和一大批枪支弹药。

蜈蚣坝伏击战给敌人以出其不意的沉重打击，打得敌人胆战心惊、失魂落魄，坚定了大青山各族人民战胜日军的决心，拉开了大青山抗日游击战争的序幕。

八路军大青山支队在绥西战斗

「察素齐河」万家沟

出呼和浩特市区，向西驶入110国道，大约几十分钟以后，进入土默特左旗察素齐镇。出察素齐镇再向西北走5公里处，有一条大沟，名为“万家沟”。沟中是一条河，古称“塞水”，今称“万家沟河”，也叫“察素齐河”。

土默特左旗的万家沟与相距200多

公里的山西省偏关县万家寨有着千丝万缕的联系。据《偏关县志》载，明朝中后期，日军侵略我国东南沿海地区，被戚继光率领的抗倭大军击败。日本侵略者一直野心勃勃，侵犯东南沿海失败后，便从朝鲜打开缺口，进而侵犯我国。明万历二十年（1592 年），丰臣秀吉侵朝失败后，又经几年处心积虑的备战，于明万历二十五年（1597 年）卷土重来，

万家沟秋景

再次侵略朝鲜。朝鲜的告急文书震惊了明政府，明政府再次将军事重心放到巩固和加强海防实力上,决定派重臣强压。在众臣举荐下，明万历皇帝颁诏书升朝中重臣万世德为都察院右都御使，巡抚天津、登莱、旅顺等地，专管海防军务。万世德受封后，征集兵员，打造船舰，加固海防，操练水兵，很快使东部及东北沿海边防形成铜墙铁壁之势，不久后出兵朝鲜征战，获得全胜。

万世德去世后，明政府追封其为太子太保兵部尚书。其子万有孚子承父业，曾任工部主事、广宁兵备道、镇守辽左，战功卓著。清军入关后，万有孚与家人响应大同总兵姜瓖，起兵抗清，在晋北与多尔衮激战数月后失败，偏关城及万家寨堡先后被清军攻破,两城内的守军、万家人被清军追杀。逃出的人翻越边墙，跨过黄河，一路向北，向今清水河县和准格尔旗以北、以西方向，逃到阴山山脉的大青山和狼山一带。

《绥远通志稿》中也有关于万有孚

及其家人于清顺治三年（1646年）冬举兵失败后，逃往今内蒙古土默特左旗万家沟租地采煤维持生计的记载。后此沟因此得名“万家沟”，俗称“大沟”，村名“万家沟村”亦由此而来。村西有一座“万三大人墓”的遗迹，据说就是万有孚的墓。

二十世纪三四十年代，当日本侵略者发动全面侵华战争时，万家寨成为抗日游击队的敌后根据地，是八路军七一五团抗日游击队挺进大青山最早的司令部所在地。

八路军大青山支队骑兵连

1938年秋，八路军一二〇师贺龙部根据毛泽东主席电令，派李井泉、姚喆成立大青山抗日游击队，挺进大青山，开辟大青山抗日游击根据地，司令部驻在万家沟村。

1939年3月，中共绥蒙工委从伊克昭盟转移到大青山，与大青山特委合并，建立中共绥远省委，省委领导机关设在万家沟村。

1941年秋，大青山抗日民主政权绥察行政公署成立，行政公署和绥西专署也设在万家沟前晌村。

在抗击日本法西斯的侵略战争中，万家沟各族人民积极为抗日军民筹措粮食和补给，向八路军告知日伪军的动向、传送消息，在战斗中隐藏和掩护伤病员，为抗日的胜利做出了杰出的贡献。

万家沟风景绮丽，水源丰富，山涧溪流纵横，飞瀑鸣泉随处可见，山表和山腹的褶沟里长满了各类植物，青叶如织，好似数条青龙在山间屈曲蜿蜒。夏秋之际，群山披彩，繁花似锦。纯白色的云朵在裸露着的岩石上飘动着，在湛蓝的天幕底布上，轮廓格外清晰。沟内奇峰林立，怪石纵横。由于这里特殊的地质地貌以及大自然的鬼斧神工，今天的万家沟已经成为一些户外运动爱好者体验攀冰、山地崖降和高山速降的绝佳之地，而山西境内的偏关黄河万家寨水库，也与对岸内蒙古清水河县境内的老牛湾一起，成为著名的旅游胜地。

红色通道老牛坡

老牛坡位于呼和浩特市清水河县北堡乡东南部的明长城脚下。1936年9月，共产党员潘密受上级党组织委派，回到家乡老牛坡村，秘密开展地下工作。因为潘密是当时村里唯一一个有文化的人，大家都愿意听他的，他便很快就得到了乡亲们的信任，并发展潘高、郭存元、王喜玉、潘安生、周栓等为共产党员。第二年，他还秘密建立了党支部，这也

俯瞰老牛坡

是中国共产党在晋绥边区建立的第一个农村党支部。

1937 年 10 月，晋绥边特委在老牛坡村成立，组建了晋绥边区抗日领导核心。此后，老牛坡村成了八路军开赴绥南、奔赴大青山抗日前线以及返回晋西北抗日根据地的重要秘密通道。

抗日战争时期，日伪军在老牛坡接连不断地进行大“扫荡”，烧杀抢掠，妄图摧毁这个晋绥边区的红色堡垒，但始终没有得逞。

由于严格的保密措施，再加上抗日战争期间日伪军的多次“扫荡”，在老牛坡保存下来的历史资料极为稀少，随着当年那些老党员的相继辞世，知道老牛坡党支部这段光荣、神秘历史的人越来越少。

1955 年 8 月，老牛坡村的几个孩子在潘密故居的屋檐洞里掏鸟蛋时，意外发现了潘密生前隐藏于此的“牺牲救国同盟会偏关老牛坡编村村支部”的印章，这枚印章成为这个农村党支部唯一的历史见证和极为珍贵的革命历史文物。

革命战争年代，老牛坡党支部发挥了极为重要的作用，积极支援前线，踊跃参军参战。据考证，老牛坡地区牺牲的烈士多达 700 余名，留下姓名的 140 多名，现仍有部分抗战时期的老兵健在。

1986 年，经党史部门和党史专家的评审认定，中央党史征集委员会在组织编写《中国共产党历史》时，充分肯定了老牛坡党支部的历史地位和党史价值。

自 2016 年 10 月开始，清水河县对老牛坡进行全面规划建设，陆续建成老牛坡党支部展馆、老牛坡党支部旧址（复原）、红色文化广场、党旗广场和廉政文化长廊、口子上村四公主德政碑广场、口子上村长城文化展馆、北堡村抗战遗址、北堡烈士纪念碑广场、青龙洞山生态文明建设教学点、八垧地湾精准扶贫现场教学点及学员生活区等，有序承接了内蒙古自治区、呼和浩特市及周边地区的党性教育现场教学任务，成为清水河县乃至全市、全自治区深入推进“两学一做”学习教育常态化制度化重要的教育培训基地。

老牛坡党支部经历了80年的风霜雨雪，如今又焕发出新的生机。清水河县委、县政府充分挖掘革命老区红色文化资源，建立党员教育基地，推动当地旅游发展，带动村民脱贫致富，形成了“爱国爱家、依靠群众、百折不挠、敢于胜利”的老牛坡精神。

从2017年“七一”前夕到寒冬来临的5个月的时间里，老牛坡党性教育基

党员干部在老牛坡红色革命主题广场重温入党誓词

地共接待区内外各级党组织和党员干部群众150批次近5万人次。

通过传承红色文化，弘扬老牛坡精神，老区的面貌正在悄然发生变化，清水河县各项事业也在发生着巨大变化。

2017年8月18日，纪念老牛坡党支部成立80周年大会暨老牛坡党性教育现场教学基地命名仪式在老牛坡村隆重举行，仪式现场回顾总结了老牛坡党支部成立80年来走过的光辉历程，与会人员重温了入党誓词并奏唱了《国际歌》，内蒙古自治区、呼和浩特市相关部门领导、各旗县区相关部门和山西省朔州、忻州、偏关、平鲁等相关部门负责同志以及清水河县部分抗战老兵、老党员等600余人参加了大会。

老牛坡的红色革命精神影响深远，激励着清水河全县人民在全面建成小康社会的基础上，朝着建设富强、民主、文明、和谐、美丽清水河的奋斗目标，朝着实现中华民族伟大复兴中国梦的征程继续前进。

女儿山下百灵庙

达尔罕茂明安联合旗地处阴山北麓，位于包头市北150公里处。达尔罕和茂明安系蒙古族部落名。达尔罕旗原为喀尔喀蒙古土谢图汗部的一部分，清顺治十年（1653年）内附，设达尔罕旗。茂明安旗原为一个部落名，后改为茂明安旗。如今的达尔罕茂明安联合旗政府所在地为百灵庙镇，秦汉时为匈奴游牧地，唐为振武将军兼单于大都护府辖境，清初置达尔罕贝勒旗和茂明安旗。1952年，两旗合并为达尔罕茂明安联合旗，属乌兰察布盟。1996年5月18日，国务院批准将达尔罕茂明安联合旗划归包头市管辖。

从包头市出发去达尔罕茂明安联合旗，翻过阴山山脉，过固阳县就进入草原了。固阳县附近是希拉穆仁草原，达尔罕茂明安联合旗百灵庙镇内是达茂草原。前者属于乌兰察布草原，后者属于乌拉特草原。达尔罕茂明安联合旗是包头市最北的一个旗县，北与蒙古国相邻，边境线长约90公里，东邻乌兰察布市四子王旗，西邻巴彦淖尔市乌拉特中旗。从固原县往南，是荒秃秃的阴山山脉，当进入达尔罕茂明安联合旗境内时，便能看到成片的草原了。

地处达茂草原腹地的百灵庙镇就紧倚在女儿山之北。相传康熙亲征噶尔丹时，途经百灵庙，他的大帐就设在女儿山脚下。每当夜深人静之时，总有悠扬的马头琴声从山上传来，仿佛九天仙乐从夜幕上拂下。康熙走出大帐驻足倾听，朦胧的月色里，山上有七位白衣少女伴着琴声舞动着曼妙的身姿。在如此偏远的荒蛮之地竟然还有这样的人间仙境，康熙确信这一定是上天的昭示，惊魂未定之时，他赐名此山为“女儿山”。为了不打扰山上的仙女，康熙随即移师百灵庙夹皮沟的西山脚下，即现在的康熙营盘遗址。从此，每当月圆之时，女儿山上七位仙女总会如期而至，伴着悠扬的琴声翩翩起舞，慰劳驰骋沙场的将士。

百灵庙镇是著名的塞外名镇，历史上是一处交通要塞。20世纪30年代，这里曾相继发生过震惊中外的百灵庙暴动和百灵庙战役，这个小镇因此闻名于世。1936年，面对日本帝国主义“欲征服中国，必先征服满蒙”的罪恶计划，百灵庙的千余名爱国官兵举行武装暴动，冲出百灵庙，给日本帝国主义以沉重的打击，打乱了日军入侵西蒙的计划。同年11月，为了阻断日伪军向绥远各地进犯的企图，傅作义组织5000余人奇袭百

百灵庙抗日武装暴动纪念展厅

百灵庙抗日武装暴动旧址

灵庙，歼灭日伪军700余人，这是中国军队自1937年长城抗战以来取得的唯一一次完全胜利，极大地鼓舞了中国人民的抗战热情。

在百灵庙镇南的女儿山山顶上耸立着百灵庙抗日武装暴动纪念碑。碑的主体是直立的长方体柱，两面是分别用蒙汉文字书写的“百灵庙抗日武装暴动纪念碑”。纪念碑坐东朝西，用大理石构筑的方形塔基上是粗线条的抗日战士浮雕“群英图”，四蹄腾空、昂首向前的战马上有一位高举战刀的战士，他威武雄壮、所向披靡的飒爽英姿体现了抗日武装队伍勇往直前、奋勇杀敌的光辉形象。

百灵庙抗日武装暴动纪念碑

先烈血洒转龙藏

转龙藏，又名龙泉寺，坐落于包头市东河区东门外刘宝窑子河（古称博托河）出口处的右岸。转龙藏地名的由来有好几个版本。一说来源于佛教，“转龙藏”由“转轮藏”讹传而来。另一说为清朝雍正初年，土默特部阿尔万曲力木喇嘛从西藏学佛归来，沿阴山云游，清雍正四年（1726 年）来到博托河右岸，见这里树木苍郁、泉水淙淙，遂挂锡于此，建庙供佛，焚香诵经，将此地命名为“转

转龙藏

龙藏”。还有一种说法是禅师建寺后，在藏经殿的中央建了一个八棱木塔，内设多层经阁，将佛经分藏阁中，还独具匠心地在木塔中心底部装了一个龙形木轴，僧人念经的时候，只需转动龙轴，便可找到想读的经书。于是，僧人们给这座寺庙起名为“转龙藏”。

如今，包头市革命陵园坐落于转龙藏。

1945年8月15日，日本向全世界宣布无条件投降，时任驻绥远西部的国民党军第十二战区司令长官傅作义立即调集所辖主力和收编的伪绥西联军共6万人，进占归绥和已经解放的武川、陶林、丰镇、兴和等城外埠，企图夺占张家口。

10月16日，毛泽东为中共中央起草电文《夺取平绥战役的胜利意义重大》。电文中指出：“即将开始的平绥战役，关系我党在北方的地位及争取全国和平局面，极为重大……故此次平绥战役，系为收复失地打开交通路而战……”

10月22日，毛泽东为中共中央军

转龙藏龙泉寺石壁

委起草给晋察冀军区司令员兼政治委员聂荣臻、副司令员萧克、副政治委员兼政治部主任罗瑞卿和副政治委员刘澜涛并告晋绥野战军司令员贺龙、副政治委员李井泉的电报《归绥包头大同等地必须占领》。电报中指出："如傅部固守归绥，则先将包头、五原、固阳占领，使傅部绝粮突围，然后歼灭之。"

在中共中央的领导下，11 月 7 日，晋绥野战军下辖独立一旅、独立二旅、三五八旅和绥蒙军区司令员姚喆所率部队占领萨拉齐，进至沙尔沁召。贺龙驻沙尔沁召并设立指挥所。

11 月 9 日夜，三五八旅副旅长王尚荣率领的七一六团对东城门外的转龙藏发动进攻。转龙藏寺院在山顶上，东南玉皇顶是制高点，如果控制了东西要道，城垣内的街巷就能看得一清二楚。

战士们冒着炮火，奋勇攻下转龙藏阵地。敌人不甘失败，连续激战三天三夜，发起三次冲锋，都被打退。晋绥野战军副司令员周士第率七一五团将城垣包围，敌人龟缩于城内。

包头城垣外，绥蒙军区司令员姚喆率军攻占包头电灯面粉公司、麻池，七一四团攻占火车站、烈士祠、原日本国民学校，独立一旅二团进占鸡毛窑子。

当时，国民党军龟缩在包头城垣内，将除南门外的其他四个城门全部用装土的麻袋封住，然后用水浇灌，北方寒冷的天气把麻袋冻成一块，城墙上也结了一层冰。

11 月 12 日，攻城战斗开始。七一五团二营大部分是陕北老红军，主攻西北门，因敌人炮火猛烈无法登城。紧急时刻，独立一旅二团炸开西北门，七一五团二营、三营迅速进城，一路战士占据西营盘梁，另一路战士沿官井梁街向南推进。次日，因敌我力量悬殊，进城战士被迫退出城外。

11月14日，毛泽东为中共中央军委起草《夺取归绥方案》，指示："归绥久围不下，我军应以一部监视归绥，以主力迅速即西进，攻占包头、五原、临河，最后夺取归绥。"

11月15日，国民党派出三架飞机为国民党军投下弹药、伪法币。

11月23日，中共中央军委指示："如果你们在短时间内，没有把握攻下包头、归绥，是否即将部队撤退到机动位置，相机再定今后计划。"接到指示后，贺龙将指挥部从沙尔沁召迁至石拐沟，准备再战。

12月2日，第二次攻城开始，三五八旅八团六连主攻西北门，六连从西北门至东门之间选择突破口进攻城垣，随即七一五团二营、三营冲进西北门。

城内指挥官董其武立即下令国民党军反攻，敌人先用炮火封锁了突破口，然后抢占突破口，六连遭受重大损失。

突击进城部队激战至深夜，第二天上午，敌人几架飞机在靠近西北门的一角狂轰滥炸，八团三营七连在炮火的掩护下进攻东城门，连续突击三次，因敌人炮火猛烈未能接近城边。独立二旅旅长许光达、副旅长孙志远率军攻西城门也未能取得突破，七一六团从城外西北门接近仍未能压住敌人火力。12 月 3 日，突击营被迫撤出战斗。同日，据守天主堂阵地的独立一旅二团副团长彭济民和战士们腹背受敌，西北门被敌军封死又没有退路，坚持两天后弹尽粮绝，全部壮烈牺牲。

正值冬季，战士们都穿着单衣，身上背的口粮袋也已经空了，但是战士们仍能克服重重困难，英勇杀敌，革命烈士的鲜血洒遍包头城垣。

1948 年，为了配合辽沈战役，中国人民解放军第二次进攻包头，敌人在枪响之前就弃城而逃，包头终于迎来解放。

1973年，包头市人民政府将龙泉寺改建为革命烈士陵园。近年来，包头市烈士陵园先后成为内蒙古自治区、包头市、东河区三级政府挂牌的爱国主义教育基地。

包头市革命陵园纪念碑

革命故地包头召

包头召革命纪念馆位于包头市东河区拐子街，约建于清朝康熙年间，是包头市内唯一一座蒙古族召庙。该召庙是藏式建筑结构，砖石墙壁，用石灰水粉刷成纯白色，两层楼堂。底层为经堂，内无间墙，两排圆木柱直通房顶；楼上有前后两座佛堂，分别供奉释迦牟尼和其他塑画神像。正前方是满面门窗，外有护栏走廊，东西墙壁设长方形小窗。

包头召革命纪念馆（一）

包头召革命纪念馆（二）

环召有通行走廊和花栏围墙。召庙两侧有两个大院，设有客堂、厅舍、厨房、货仓、马棚马圈等，总面积约 7000 平方米。

包头召革命纪念馆左侧是已建成的中共包头工委旧址、包头召民俗馆、包头召博物馆等。

2009 年 9 月 19 日，包头召革命纪念馆落成，为群众缅怀革命先烈提供了重要场所，也为中小学生提供了爱国主义教育和革命传统教育新课堂，成为包头市民族团结进步教育基地、内蒙古自治区 25 个红色旅游经典景点之一，是包头市、内蒙古自治区两级文物重点保护单位。

革命战争年代，包头召作为党的秘密联络站、情报传递站和共产党人赴共产国际的中转站，以及革命青年奔赴革命圣地延安的补给站，为内蒙古的革命事业，乃至中国的革命事业发挥了十分重要的作用。

1925 年 3 月，中共包头工委在包头召成立，这是包头地区第一个共产党组织。无数革命先辈在包头召的掩护下，与敌人做艰苦卓绝的斗争，王若飞、乌兰夫、李裕智、刘仁、奎璧、多松年、吉雅泰、李森、锡尼喇嘛、旺丹尼玛等一大批蒙汉革命者在这里留下了光辉的足迹。

泰安客栈缅英烈

包头市王若飞纪念馆，原称泰安客栈，坐落于包头市东河区通顺街3号。1931年9月，王若飞同志以中共西北特别委员会书记的身份，从共产国际来到内蒙古，领导内蒙古地区和我国西北地区的革命斗争，在此期间就住

包头市王若飞纪念馆

在泰安客栈。

泰安客栈原是一座四合院，共有房屋 28 间。为了展现王若飞同志 1931 年在内蒙古地区从事革命活动的历程，包头市人民政府于 1962 年在原泰安客栈旧址建立了王若飞纪念馆。如今，王若飞纪念馆已成为内蒙古自治区重点文物保护单位、自治区爱国主义教育基地、全国爱国主义教育示范基地。

王若飞纪念馆共有房屋 6 间。其中正房 4 间，为展厅；东西房各一间，为接待室和办公室。院内有毛泽东、周恩来、刘少奇、朱德等国家领导人为“四八”烈士题词的石刻碑廊，王若飞半身雕像和王若飞生前的题词碑刻。纪念馆有革命文物 30 余件、珍贵图片 260 余张、纪念性报刊书籍 100 余份。

王若飞，老一辈无产阶级革命家、杰出的政治活动家，忠诚的共产主义战士。1923 年，27 岁的王若飞受党组织委派赴莫斯科东方劳动大学学习，正式成为中国共产党党员。1931 年，“九一八事变”后，内蒙古成为日军侵略的重点。同年秋天，王若飞受中共驻共产国际代表团派遣来到包头，主持开展西北地区农民运动和民族工作的革命斗争。

当时，王若飞化名黄敬斋，扮成商人，在一位蒙古族牧民的带领下进入内蒙古地区。他在绥远布置完工作就来到包头，住进了商家云集的泰安客栈。他计划在内蒙古西部地区48个县开展工作，根据布点工作计划，首先在包头一带展开了广泛的活动，他派人在铁路沿线和大青山下组织群众进行抗捐抗税的斗争，并且去五原一带布置、检查工作。不久，包头附近就爆发了轰轰烈烈的抗杂税运动，这次群众斗争使国民党暂时停收了杂税。

在火热的斗争中，王若飞经常深入群众中去，鼓舞他们进行斗争。星星之火，可以燎原，很快，在大革命时代盛极一时的农民协会又开始在暗地里活跃起来。

王若飞还指示当时绥远和包头地区地下党组织的负责人，要深入发动群众，做好民族工作，开展武装斗争，适时进行土地革命。他再三强调，必须在群众中宣传党的民族政策，实行民族团结互助，进而发动各族人民开展武装斗争。

1931 年 11 月 21 日晚，王若飞在泰安客栈 3 号房间被捕，被捕时，国民党迫不及待地想要得到共产党的地下活动情况。王若飞趁搜身之时，将原本装在裤兜里的两份文件掏了出来，塞到了嘴里。敌人发现后，几个警察冲上来用力

泰安客栈 3 号房间

卡着他的喉咙，王若飞只能拼命将这些纸咬烂。最后，敌人从王若飞的喉咙里抠出了一些血肉模糊的纸张。

王若飞同志将自己全部的热情倾注到了党的革命事业中，即使在狱中，他依旧没有忘记播撒革命的火种，也践行了他的革命誓言：“一切要为人民打算。”

王若飞被关押在了绥远第一模范监狱。入狱后，他经常利用放风的机会，深入难友中宣传革命思想，讲阶级斗争

包头市王若飞纪念馆内的王若飞雕像

和共产党的性质、宗旨，提高了难友们的觉悟，扩大了党在群众中的影响。五年的铁窗生涯中，王若飞威武不屈、从容镇定、团结难友、坚持斗争，表现了大无畏的革命英雄主义精神。

1937 年 4 月，王若飞在党组织的营救下出狱。同年 8 月，他在中共北方局负责人刘少奇的安排下离开太原，经西安回到延安继续从事党组织工作。1946 年 1 月，王若飞代表中共方面出席在重庆召开的政治协商会议。同年 4 月 8 日，在由重庆返回延安的途中，王若飞因飞机失事在山西省兴县黑茶山遇难，时年 50 岁。

抚今怀昔，当年的泰安客栈，今天的王若飞纪念馆，作为弘扬爱国主义精神、传承红色基因的主要阵地，平均每年接待参观群众 2 万余人，充分发挥了爱国主义教育基地的作用。

额济纳旗王爷府

额济纳旗的胡杨林驰名中外，在胡杨林的怀抱中，有一处红色人文景观——额济纳旗王爷府。

额济纳旗王爷府，蒙古语称“诺彦乃白兴”，也叫“塔王府”“额济纳旗旧土尔扈特王爷府”，是额济纳旗旧土尔扈特部第十二代札萨克塔旺嘉布的故居，也曾是额济纳旗的政治中心。这是一片远离连绵沙丘、强劲朔风的绿洲，

航拍额济纳旗胡杨林

在碧水蓝天、金色胡杨的背后，额济纳旗王爷府的故事更加引人入胜。

走近额济纳旗王爷府，一座高约 15 米的汉白玉纪念碑巍峨矗立，高大的碑身仿佛正在向人们讲述一段英雄的故事。这是额济纳旗委、旗政府于 1998 年树立的“纪念额济纳土尔扈特部回归祖国三百周年”纪念碑。2006 年额济纳旗王爷府被列为内蒙古自治区级重点文物保护单位，2008 年又被命名为内蒙古自治区级爱国主义教育基地。

额济纳旗王爷府中陈列着塔旺嘉布的照片、办公用具，还有 1949 年塔旺嘉布通电起义的报纸复印件。

塔旺嘉布是额济纳旗的末代王爷，1900 年生于额济纳旗，少年时为陶音喇嘛。1938 年世袭札萨克，并兼任国民军额济纳旗防守司令部少将司令，后晋升为中将司令。1949 年率部起义，并当选为中华人民共和国成立后的第一任额济纳旗旗长。

在历代王爷中，塔旺嘉布是一位

颇有名望的开明人士，他重视教育，于1936年创办了额济纳旗第一所蒙古族小学，并担任校长，开创了额济纳旗教育史上的先河。抗日战争时期，中共地下工作者周仁山曾先后两次到额济纳旗与塔旺嘉布接触，向塔旺嘉布宣传中国共产党的抗日主张和民族政策，促使塔旺嘉布由一名封建王公转变为倾向于人民解放事业的开明人士。这时的王爷府还是共产国际、苏蒙红色政权援助中国革命的秘密通道和联络点。

塔旺嘉布积极支持周仁山、苏剑啸的抗日民族统一战线工作。为确保周、苏二人的安全,塔旺嘉布不顾个人安危，多次暗中保护，使中共在额济纳旗的地下活动未受任何损失。

1949年9月27日是额济纳旗历史上值得纪念的日子。那一天，塔旺嘉布代表全旗各族人民致电中共中央、毛泽东主席和朱德总司令，宣布即日起与国民党政府脱离关系，接受中国共产党和中央人民政府领导。这一大义之举，使得额济纳旧土尔扈特札萨克旗和平解放。从此，额济纳旗掀开了崭新的历史篇章。

塔旺嘉布还为我国导弹综合试验基地的建设立了大功。

1958年，他毅然搬出世代居住的王府，并带领全旗干部和广大牧民群众无代价腾出一部分最好的草场，在额济纳旗修建了2800平方公里的导弹靶场，为国防建设做出了伟大贡献。基地组建至

额济纳旗航天发射塔合成图

今，在我国国防事业的发展进程中，树立了一座又一座不朽的丰碑。额济纳旗东风航天城（酒泉卫星发射中心）成为“神舟升起的地方”。

搬迁后的王爷府建到了我们今天看到的地方。在王爷府的前院，摆放着一架蒙古族人过去使用的马车，那巨大的车轮仿佛是滚滚驶来的历史巨轮，额济纳人踏着祖先的足迹使英雄们的家国情怀代代相传，生生不息。

鄂尔多斯红土地

鄂尔多斯革命历史博物馆位于东胜区达拉特北路4号，其前身为伊克昭盟行政公署办公楼，始建于1954年，是鄂尔多斯市仅存且保存较完整的20世纪50年代的典型建筑。2007年9月12日被列为第四批内蒙古自治区级重点文物保护单位，这是全区唯一一座建立在盟行政公署旧址上的近现代革命历史博物馆。

鄂尔多斯市康巴什区双驹广场雕塑

鄂尔多斯革命历史博物馆承担着保护该历史建筑与对外展出的双重任务，展现鄂尔多斯漫长而艰苦的发展历程，以及发生的伟大变迁。以鄂尔多斯近代的演变和发展为背景，重点展示中华人民共和国成立以来到撤盟设市等各个历史阶段党委、政府出台的大政方针，重大战略举措和发生在各个阶段的重大事件、重要人物以及他们的历史贡献。通过实物、图片、场景复原和采用声、光、电等高科技手段，突出历史发展主脉络，弘扬以革命英雄主义、爱国主义为核心的民族精神，突显地区特色。

近年来，特别是党的十八大以来，鄂尔多斯市深入发掘红色文化、传承红色精神、发展红色文化旅游，取得了显著成效。鄂尔多斯市在发展红色旅游的同时，还注重红色旅游的融合发展，坚持促进红色资源与历史文化、自然生态资源的整体保护开发，以红色旅游景区为核心，串联周边其他旅游资源，把革命精神融入红色旅游设施和红色旅游产品中。

鄂尔多斯市从民主革命时期、抗日战争时期到解放战争时期，每一段革命历程都在中国共产党的直接领导下进行，是陕甘宁边区的北部屏障，是革命年代党培养少数民族干部的摇篮。辉煌的革命历史给鄂尔多斯市留下了众多宝贵的红色文化资源，为发展红色旅游奠定了坚实的基础。

鄂尔多斯市红色文化旅游资源主要集中在鄂托克前旗、鄂托克旗和乌审旗。

其中鄂托克前旗红色旅游以“1+6红色教育培训点”为中心，打造红色记忆专题游、民族和谐与团结教育游、蒙汉支队体验游；鄂托克旗红色旅游资源主要有桃力民抗日根据地、乌兰夫革命旧址、中共绥蒙工作委员会旧址、中共伊克昭盟工作委员会旧址等；乌审旗红色旅游有以无定河流域的伊克昭盟第一个党小组旧址、中共乌审旗委办公旧址为主的南部片区和以“独贵龙”运动牧区大寨乌审召为中心的中北片区。

鄂尔多斯市康巴什区乌兰木伦河

额尔多斯博物馆

此外，还有东康伊核心区的鄂尔多斯革命历史博物馆、鄂尔多斯革命纪念公园、鄂尔多斯博物馆等革命历史场馆，达拉特旗黑赖沟抗日将士纪念碑、恩格贝黑赖沟抗日英雄纪念碑、准格尔旗中共马栅区委革命活动展厅、杭锦旗生产建设兵团遗址等红色抗战历史遗迹。

“亮丽北疆·红色教育培训红色旅游线路”是鄂尔多斯市“红色旅游＋乡村旅游”“红色旅游＋教育培训”等多种形式的积极探索成果之一。这条线路以丰富的红色文化旅游资源为核心，突出红色旅游的教育功能，将革命精神融入红色旅游的线路设计、宣传展示和讲解体验之中，增强内蒙古自治区红色文化旅游品牌的影响力和感染力。这条线路也是鄂尔多斯市红色旅游融合发展，坚持促进红色资源与历史文化、自然生态资源的整体保护开发的重要体现。

在这条线路中，可以参观鄂托克前旗城川民族学院旧址，这里曾是党的民族政策试验田与培养少数民族干部的摇篮。新时期在旧址上建立的延安民族学院城川纪念馆和城川民族干部学院以及三段地革命历史纪念馆、城川红色国际秘密交通站陈列馆等红色现场教学点，已成为内蒙古自治区红色基因传承基地。之后前往鄂尔多斯市草原腹地，观鄂尔多斯婚礼、品特色美食；在恩格贝沙漠了解沙漠植被恢复环保工程；在“沙漠里的迪士尼”——响沙湾看沙漠美景，听千古沙鸣。

鄂尔多斯市拥有 18 个国家级、内蒙

古自治区级、鄂尔多斯市级培训教育基地，自 2017 年建成以来，已累计培训学员 4 万多人次，鄂尔多斯市红色旅游的年接待量已突破 150 万人次，红色旅游作为一个新兴业态，正在鄂尔多斯市蓬勃发展。

五原大捷振国威

五原这个古地名源于夏朝。相传在4000多年前，天下洪水泛滥，大禹采取疏导之法，根治洪水，待水势减退后，在高埠处出现了若干个丘状塬地，其中有5个较大的塬地，人们在塬地之上辟田造屋，繁衍生息。“五原”由此得名。

汉武帝元朔二年（前127年），五原置郡，郡治九原县（今包头市九原区

五原抗日战争烈士陵园广场上的雕塑

麻池镇西北）。据考证，三国时名将吕布吕奉先就是五原郡九原县人。

五原县地处内蒙古河套腹地，南临黄河（属黄河最北端），北有阴山横亘，东临鹿城包头市，西与临河区相邻，是河套平原上一颗有着 2000 多年文明历史的塞上明珠。

五原抗日烈士陵园位于巴彦淖尔市五原县城北，这里安葬着 679 位抗日阵亡将士的忠骨，被列入第二批国家级抗战纪念设施、遗址名录。

1939 年 12 月下旬，国民党将领傅作义奉命发动第一个“冬季攻势”。日军严重受挫，随即组织军队疯狂反扑，入侵河套地区。国民党军节节败退，使十几万河套人民惨遭日军蹂躏和屠杀，引起当时和国民党共同合作抗日的共产党人和广大爱国人士的强烈愤慨。傅作义接受了共产党的忠告，收拾败局、重整旗鼓，各部官兵在共产党的影响和广大人民的支持下，明白了抗日图存的真谛，经过教育整顿，又开回河套，重新部署，决心抗战，从而发动了收复五原的战役。

五原战役给日本侵略者以毁灭性的打击，日伪军被歼约5000人。五原战役震惊中外，它不但证明了拥有劣势装备的中国军队能够打败拥有优势装备的日军，而且进一步证明中国军队能够以寡敌众并且拥有攻克敌人重重设防的坚固据点，从而证明了日军侵华非正义战争必败、中国军队抗日正义战争必胜的真理。

红格尔图歼敌伪

红格尔图村位于绥远省陶林镇，即今内蒙古乌兰察布市察哈尔右翼后旗白音察干镇正北20公里处，是一个只有一条街道的小村庄，人们很难在地图上找到它。

这里曾是绥东地区的战略要地、绥东的门户，是由察哈尔西部进入绥远的必经之地，与百灵庙、大庙（锡拉木伦庙）

红格尔图战役中的碉堡

成掎角之势，军事地位十分重要。这个普通的村庄因发生过震惊中外的红格尔图战役而闻名。

抗日战争前夕，日本帝国主义侵占我国东北与内蒙古大部分地区之后，为了实现其先取绥远，再占华北进而灭亡整个中国的狼子野心，于1936年8月举兵进攻了红格尔图两个昼夜，但未得逞。10月，王英伪军3000余人两次攻打红格尔图，企图进军陶林，夺取绥远。当时红格尔图守军是阎锡山、傅作义的晋绥军，赵承绶骑兵共两个半连，220余人，还有半个机枪连。另有绥境蒙政委员会兼绥东四旗剿匪司令达密凌苏龙（绰号“长胡子”），参谋长为中共党员纪松龄，带领蒙古骑兵在外围配合作战。另一方面，红格尔图村天主教堂司铎易世芳组织教友80余人成立了地方保卫团，也配合部队坚守阵地。

为了抵抗日伪军，中共陶林县委、县政府派2000个民工昼夜工作，仅用40余天就修建了坚固的简易工事。工人们在村四周挖了深、宽各1.2丈的围壕，在村四角修建了大碉堡，将城壕中的土堆在靠城一边，并利用沿壕土垄和厚木板筑成掩体，围堡里侧又挖了一条曲线型交通壕。

1936年11月15日，天降大雪，天气寒冷，敌人先派一架飞机前来侦察，接着又来四架战斗机轰炸，同时有4000余日伪军向红格尔图发起进攻。红格尔图守军早已做好迎战准备，官兵士气高涨，沉着应战，将进攻之敌大量杀伤，

增援部队赶赴红格尔图战场

遗尸累累。经一天恶战，守军歼敌 100 余人，又用步枪打落一架敌机，士气更是大振。18 日，大风雪使敌军视线模糊，不能前进。我军士气旺盛，猛拼猛打，发起进攻。匪部不支，匆忙撤退。守军乘胜追击，直捣匪巢，在大拉村抄及王伪总司令部军用品甚多。

红格尔图之战，日伪军合计被消灭 1000 余人，绥远前线官兵无不欢欣鼓舞。

这次战役彻底粉碎了日伪军向红格尔图进攻，从百灵庙、兴和两翼包围、击溃晋绥军，夺取绥远，控制华北，进一步觊觎西北的如意算盘，给日伪军以沉重的打击，粉碎了日本帝国主义侵吞绥远的阴谋，极大地激发了蒙汉人民抵抗日军侵略的斗志。

集宁战役史留名

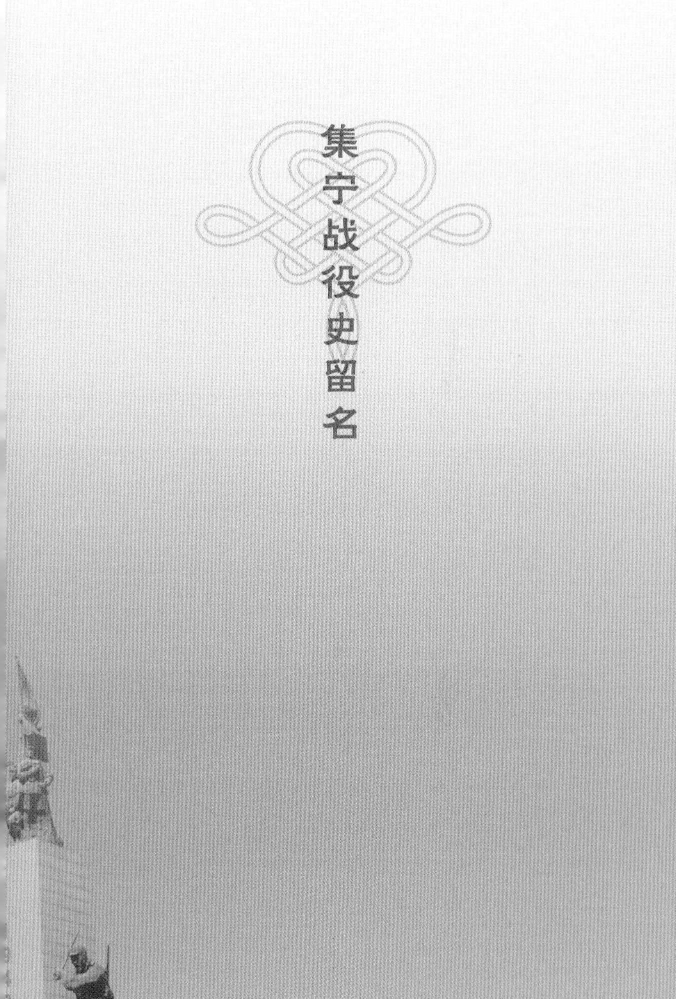

集宁区东临京、津，西接呼、包，南连晋、冀，北达二连浩特市，是连接华北、西北、东北三大经济区的交通枢纽，是我国北方客货运重要的中转站，也是华北乃至华东、华南等广大地区进入蒙古国、俄罗斯和欧洲其他各国最短路线的必经之地。

从 1919 年平绥铁路（今京包线）在这里建站起，当年仅有几户人家的老凹

集宁战役红色纪念园

集宁战役纪念馆《毛泽东主席给
聂荣臻、贺龙电》碑文

嘴，经过百年的发展，发生了翻天覆地的变化。

1946年1月至1948年9月，在不到三年的时间里，三次集宁战役为这座英雄的城市树立了永远的丰碑。

1946年1月10日，国共双方签订《关于停止国内军事冲突的协议》，规定双方军队自1月13日午夜起停止军事行动。

然而，蒋介石在1月7日就向各地国民党军队发布秘密命令，要求军队“抢占战略要点”。集宁是绥东地区的心脏，四面环山，地形险要，对于这样一个重镇，国民党图谋已久。

1月14日，傅作义奉命向绥东、绥南进犯，侵占集宁。面对国民党违反停战协定的军事进攻，贺龙调动3个步兵团和1个骑兵旅，在晋察冀军区的配合下，向敌人反击。17日，解放军兵临集宁城下。国民党当局得知贺龙开始反击的消息，急忙向设在北平的“军调部”报告，诬告解放军违反停战协定，谎称集宁在停战协定生效前就是他们的地方。为此，“军调部”决定派执行小组18日到集宁调查。贺龙得知后，当即发出急电，命令部队18日8时前全歼侵犯集宁的国民党军队。18日晨，解放军收复集宁，歼灭敌人2000多人。

1946年6月，全面内战爆发。蒋介石为了使傅作义出兵增援大同，只得把大同划归傅作义管辖。傅作义召集团以上军官到归绥，闭门开了7天军事会议，严密部署计划。傅作义的作战计划不是去救大同，而是转攻集宁。攻下集宁，向东南可出兵丰镇、隆盛庄，从后方迂回包抄进攻大同的解放军；向东可出兵尚义、张北，直接威胁晋察冀军区机关所在地张家口。

集宁战役纪念馆广场上的雕塑

9月10日早晨，傅作义部开始向集宁发动进攻，守城的解放军拼死抵抗，但是因为阵地缺乏纵深，战至下午，所有集宁外围阵地全部失守。

当日中午，傅作义部突入集宁城内，与解放军展开巷战。姚喆等解放军指战员组织了几次反击，都未奏效。双方战至9月13日20时，解放军伤亡惨重，城内大部分阵地失守。两小时之后，鉴于集宁城无法再守，绥蒙军区命令撤出战斗，余部转入城外山区，集宁失守。

1948年，解放军又一次打响了解放集宁的战役。这次战役，解放军志在必得。

9月，解放军华北军区三兵团按照党中央、毛主席的指示，在司令员杨成武、政委李井泉的率领下进军绥远。一中队和晋绥八纵队包围集宁城，于26日经过一夜激战，到27日上午攻占全城，全歼敌人3500多人。傅作义十分惊恐，急调平张线嫡系部队步骑约10个旅，西援归绥。29日，解放军守城部队撤出集宁，在城外阻击敌人西进，掩护三兵团主力集结。敌人先头部队又进入集宁城。10月15日，华北军区二兵团奉命向平张线进发，配合三兵团作战。傅作义西援归绥部队调头东返，进入集宁的敌人不战自退，解放军乘势重占集宁城。

集宁战役解放了集宁和绥东地区，捍卫了中国共产党抗日战争时期在这一地区的胜利成果，有力地支援了辽沈决战，重创了国民党的有生力量，拖住了傅作义的几十万部队，国共双方先后投入100多个团的兵力，有上百名将军参与，集宁成为促成绥远“九一九”起义的前沿阵地。它的丰功伟绩不仅在内蒙古的解放史上写下极为光辉的一页，同时也载入了中国革命历程的光荣史册。

集宁战役是中国共产党为了全中国的解放而英勇战斗的缩影，将被后人永远铭记。

免费开放
It's free

乌兰浩特开新篇

乌兰浩特，蒙古语，意为“红色的城市”，是兴安盟的政治、经济和文化中心，地处大兴安岭山脉的中段与松辽平原过渡地带，属低山丘陵地貌。

乌兰浩特市原名王爷庙，是因清康熙三十年（1691 年）札萨克图旗第三代郡王鄂齐尔在此建的家庙而得名。

乌兰浩特市既是一座历史悠久的城市，也是一座具有光荣革命传统的城市。

五一会址

抗日战争时期，东北沦陷之后，日本侵略者为掠夺我国东北的资源，实现其扩张野心，在此修建了兴安隧道，隧道中的岩石多为坚硬的花岗岩，为钢筋混凝土建造，该隧道如今仍是火车进入阿尔山的唯一通道。隧道的两个出口处各建有一座守护隧道的堡垒，被称为南、北兴安碉堡。碉堡面积600余平方米，里面有发电室、弹药库、宿舍、卫生间、仓库、浴池等。堡垒内部的四面墙壁上有100多个射击孔，在前面的山坡上还建有暗堡，山上山下火力交叉配置，形成了完备的防护体系。

兴安隧道是一条战略意义极为重要的军事通道，它向北可通往蒙古国和俄罗斯。2005年，南兴安碉堡被内蒙古自治区文明办命名为“内蒙古自治区级爱国主义教育基地”。

1947年5月1日，内蒙古自治政府在今乌兰浩特市宣告成立。毛泽东主席、朱德总司令联名发来贺电，贺电中说：“曾经饱受困难的内蒙同胞在你们领导下，正在开始创造自由光明的新历史。我们相信，蒙古民族将与汉族和国内其他民族亲密团结，为着扫除民族压迫与封建压迫，建设新（内）蒙古与新中国而奋斗，庆祝你们的胜利！”从此，乌兰浩特人民开始走向光明和自由的新生活。

新巴尔虎诺门罕

新巴尔虎左旗位于呼伦贝尔市西南部。东与陈巴尔虎旗、鄂温克族自治旗相连；南与兴安盟阿尔山市为邻；西临新巴尔虎右旗；西北与满洲里市相邻；北与俄罗斯相邻，以额尔古纳河为界；西南与蒙古国相邻。

新巴尔虎左旗历史悠久，早在一万年前，扎赉诺尔人就在这里繁衍生息，创造了呼伦贝尔的原始文化。之后的东胡、匈奴、拓跋鲜卑、蒙古等也曾在这

里生活。

当你驻足于这片美丽的土地上，或许不曾想过这里曾经发生过一场鲜为人知的战争——诺门罕战役。

诺门罕，旧译“诺门坎”，当年诺门罕战役的战场位于新巴尔虎左旗南部的罕达盖—将军庙—阿木古郎一线，其中包括属于蒙古国的哈拉哈河沿岸地区，双方交战的中心是在今新巴尔虎左旗诺门罕布尔德嘎查一带。

诺门罕战役交战的双方，一方是苏蒙联军，另一方是日本关东军和伪满

军。苏联红军将领朱可夫为前线指挥官，他在诺门罕战役中一举成名，后来参与指挥了苏德战场几乎所有的重大战役，被誉为“苏德战场上的消防队员”。关东军最高司令长官是植田谦吉，小松原道太郎中将和荻洲立兵中将先后任前线指挥官。

这场战争从1939年5月持续到9月，历时135天，在不足600平方公里的沙丘上，双方投入兵员20多万人，飞机900余架，火炮500余门，坦克装甲车上千辆。这场战斗无论是空战还是地面交锋，在当时的世界军事史上都是空前的，可以说是世界上最早的一场大规模立体化战争，在世界反法西斯战争史上写下了光辉的一页。

特别值得一提的是，在诺门罕战役中，东北抗日联军第三路军总指挥李兆麟将军及支队长王明贵率部主动出击嫩海平原的日军，以遏制日军向诺门罕调兵增援，配合苏联红军主战场的反击。战后，苏联政府曾授予李兆麟红旗勋章一枚，表彰第三路军在诺门罕战役中给予苏军的强有力的军事支持。

诺门罕战役无论在政治上还是军事上，都是二战初期亚洲战场上的关键一战，不仅沉重打击了日本帝国主义的嚣张气焰，有力地支援了中国人民抗击日本帝国主义侵略的战争，而且迫使日本将“北进”苏联改为“南下”袭美，使苏联避开了与德、日两线作战的危险局面，加快了第二次世界大战的胜利进程。

如今，诺门罕战役遗址是内蒙古自治区级爱国主义教育基地和重点文物保护单位，在诺门罕布尔德嘎查还建有战争遗物陈列馆，供游人参观。

红色口岸满洲里

满洲里市位于呼伦贝尔市西部，东临新巴尔虎左旗，西接新巴尔虎右旗，南临呼伦湖，北与俄罗斯相邻。

据史料记载，唐、辽、金、明、清等朝代都在满洲里建立过政权机构。19世纪末这里形成村落，蒙古语称为“霍尔金布拉格”，也有称“布鲁给亚宝拉格”的，意为“旺泉”或“喷泉”，以

满洲里红色展览馆

今满洲里小北屯附近的泉水而得名。清光绪二十六年（1900 年），东清铁路西段由这里向东铺设，此处还建有火车站，定名满洲里站。此后，满洲里作为地名开始使用。民国十六年（1927 年），根据东省特别区行政长官公署《特别市乡自治试办章程》，满洲里被认定为市。1949 年，扎赉诺尔与满洲里合并，称满洲里市。

满洲里国门位于满洲里市西部中俄边境处我方一侧。最早的国门是 20 世纪 60 年代末修建的绿色栈桥，桥身用铁轨和角铁焊接而成，桥身两侧的栏板镶嵌着木板。在苏联一侧的桥身上楣嵌有醒目的标语："全世界无产者联合起来。"栈桥横跨在中苏两种轨距的铁轨上，用来检查出入境的列车，人们习惯上称之为"检查桥"。检查桥的两侧各有一架铁梯，供工作人员上下，站在桥上可以俯视过境车辆内部的情况。栈桥形似大门，又是口岸铁路进进出出的门户，人们便形象地将其称为"国门"，意即"国家的大门”。

1989年9月1日，新建的国门交付使用。国门建筑面积789.7平方米，长25米，宽8米，高12.75米。国门外墙用乳白色麻面花岗岩镶贴，内墙用钢筋混凝土浇筑。国门庄重威严，“中华人民共和国”七个鲜红的大字镶嵌在乳白色的门体上方，庄严的国徽高悬于上，金光灿烂，光耀天地。

国门下，亮铮铮的铁轨伸向邻邦俄罗斯，这让人不禁想起，二十世纪二三十年代，共产国际和中国共产党充分利用满洲里地区反动力量相对薄弱、距苏联较近等有利条件，在这里建立了秘密的国际交通线，掩护共产党人从满洲里进出中苏两国国境。李大钊、周恩来、刘少奇、瞿秋白、邓中夏、蔡和森、李立三、罗章龙等人都是通过这条交通线的掩护，前往苏联和回国的。中共六大在苏联召开时，我党参加会议的代表从这里秘密通过，赶赴莫斯科参加大会。这条中国共产党与第三国际、苏联共产党联系的秘密交通线的建立，使满洲里在国际共产主义运动和中国革命的历史上留下了光辉的一页。

1949 年 12 月，毛泽东主席赴苏联莫斯科访问，乘坐的专列从满洲里驶出国境。次年 2 月，毛泽东、周恩来等在回国途中在这里做暂短停留，听取满洲里市领导的汇报。毛主席说；“满洲里是祖国边境的重要城市，是中苏贸易陆路口岸，对中国的建设具有重要作用……”周恩来也特别高兴。22 年前，他曾在满洲里车站下车，坐马车偷越国境去苏联参加中共六大，而今天他是以中国总理的身份出访苏联归来。

后记

在中国版图上，内蒙古自治区如厚实的脊梁挺立在北方。这里有壮丽神奇的自然风景、独具魅力的人文景观、特色浓郁的民俗风情、丰富多元的旅游文化；这里的人民团结一心，在中国共产党的正确领导下，沿着中国特色社会主义道路不断前进，经济社会发展实现历史性跨越。

内蒙古人民出版社组织策划的这套全方位展示内蒙古风采的《“亮丽内蒙古”文化普及口袋书》，在内蒙古自治区党委宣传部和内蒙古出版集团的精心指导和大力支持下，成功立项并入选“亮丽内蒙古”重点图书出版工程。能够参与丛书的编写，我深感荣幸，感谢内蒙古人民出版社给我提供了这样的机会。

由于时间仓促,加之笔者水平有限,书稿不尽完美，在编校出版过程中，内蒙古人民出版社民族历史文化读物出版中心的编辑老师付出很多心血，她们认真负责、精益求精，使丛书在短时间内保质保量出版，在此，对各位编辑老师表示深深的谢意。

希望这套口袋书可以向读者展示一个真实生动、色彩斑斓的内蒙古，让更多的人了解内蒙古、认识内蒙古、爱上内蒙古。

编者

2021 年 9 月于呼和浩特市